Claire, la fée des coquelicots

Pour l'étincelante Carrie Morling,
avec amour

Un merci spécial à Sue Mongredien

Catalogage avant publication de
Bibliothèque et Archives Canada

Meadows, Daisy

Claire, la fée des coquelicots / Daisy Meadows ;
texte français d'Isabelle Montagnier.

(L'arc-en-ciel magique. Les fées des fleurs ;
2) Traduction de: Pippa the poppy fairy.

ISBN 978-1-4431-1623-7

I. Montagnier, Isabelle II. Titre. III. Collection: Meadows, Daisy.
Arc-en-ciel magique. Les fées des fleurs ; 2.

PZ23.M454Cla 2012   j823'.92   C2011-905757-3

Édition publiée par les Éditions Scholastic,
604, rue King Ouest, Toronto (Ontario) M5V 1E1

5 4 3 2 1   Imprimé au Canada 116   12 13 14 15 16

Claire, la fée des coquelicots

Daisy Meadows

Texte français d'Isabelle Montagnier

Éditions
SCHOLASTIC

Le palais du Royaume des fées

Le Manoir aux cerisiers

Le Jardin des fées

Le village de Tremble-Feuille

Le pavillon des visiteurs

Le château
de glace du
Bonhomme
d'Hiver

Le lac de
la Belle-Rive

L'aire de pique-nique

Le parc

Le magasin
Foison de fleurs

Grande rue de
Fleuronville

Les jardins des chutes
de l'arc-en-ciel

Les floralies du château

Pour que les jardins de mon palais glacé
soient parés de massifs colorés,
j'ai envoyé mes habiles serviteurs
voler les pétales magiques des fées des fleurs.

Contre elles, les gnomes pourront utiliser
ma baguette magique aux éclairs givrés
afin de me rapporter
tous ces beaux pétales parfumés.

TABLE DES MATIÈRES

Livraison spéciale

Karine Taillon finit de savourer un délicieux bol de céréales et de fruits.

— J'adore le Manoir aux cerisiers! dit-elle avec un soupir joyeux.

Elle est assise à la terrasse ensoleillée du restaurant de l'hôtel avec sa meilleure amie Rachel Vallée. Les parents des deux fillettes sont là aussi. Les deux familles passent le

congé de mars dans un superbe manoir qui
a été transformé en hôtel. Le ciel est bleu et
dans les jardins, les cerisiers sont en pleine
floraison.

— Ces fleurs blanches et roses sont si
jolies, fait remarquer Rachel.

— Avez-vous trouvé le Jardin des fées
hier? demande Mme Taillon.

Karine et Rachel hochent la tête.

— Oui, il est magique! répond Rachel en
échangeant un sourire avec Karine.

Les deux fillettes partagent un grand secret. Lors de leurs premières vacances ensemble, elles sont devenues amies avec les fées. Hier, elles ont rencontré Téa, la fée des tulipes, dans le jardin de l'hôtel, et une toute nouvelle aventure féerique a commencé!

— Qu'aimeriez-vous faire aujourd'hui toutes les deux? demande M. Vallée.

— Nous aimerions explorer le manoir, dit Rachel avec enthousiasme.

— J'ai vraiment hâte de voir tout ça, ajoute Karine. Maman, est-ce que nous pouvons…

— Oui, vous pouvez sortir de table si vous avez fini, dit Mme Taillon en souriant.

— Comme ça, il y aura plus d'œufs et de bacon pour moi! plaisante M. Vallée alors que les fillettes se lèvent.

En riant encore de sa blague, elles quittent le restaurant, suivent l'un des couloirs sinueux du manoir et s'attardent pour regarder les tableaux accrochés aux murs.

L'un des tableaux représente un village verdoyant.

— C'est Fleuronville, n'est-ce pas? demande Karine.

Rachel hoche la tête. Elles ont traversé le village en voiture pour se rendre au manoir.

— Et voilà le manoir comme il était autrefois, remarque Rachel en s'arrêtant devant un autre tableau.

À côté se trouve une peinture à l'huile représentant un champ parsemé de fleurs sauvages : des coquelicots écarlates, des boutons d'or et des centaurées bleues.

— Au moins celles-là ne faneront jamais, soupire Rachel. Toutes les vraies fleurs meurent depuis que les pétales des fées des fleurs ont été volés.

Les fillettes ont appris que le Bonhomme
d'Hiver a recommencé à importuner les
fées. Il a envoyé ses gnomes voler les sept
pétales magiques. Sans ces pétales, les fleurs
du Royaume des fées et du monde des
humains ne peuvent plus fleurir
normalement. Quand les fées des fleurs ont
essayé de récupérer leurs pétales, leur magie
est entrée en collision avec un sort glacé du
Bonhomme d'Hiver et les pétales se sont
dispersés dans le monde des humains. Le
Bonhomme d'Hiver a envoyé ses gnomes
chercher les pétales, mais Karine et Rachel
sont bien décidées à les retrouver en premier
et à les rapporter au Royaume des fées
qu'ils n'auraient jamais dû quitter.

— Au moins, nous avons trouvé le pétale
de tulipe de Téa hier, dit Karine. Je me
demande si nous allons trouver un autre
pétale aujourd'hui.

— Je l'espère, répond Rachel.

Les fillettes arrivent à la réception de l'hôtel,
une vaste pièce ornée de vitraux et meublée
d'une grande table en bois sur laquelle est
posée une composition florale. Au même
instant, la porte d'entrée s'ouvre et un homme
en uniforme bleu s'avance, chargé d'une
énorme corbeille de fleurs.

— Bonjour Benoît, dit Jeanne, la réceptionniste. Peux-tu mettre les fleurs à leur endroit habituel, s'il te plaît?

Benoît se rend jusqu'à la table, enlève la corbeille de fleurs fanées et la remplace par une nouvelle. Rachel trouve les fleurs magnifiques, surtout les énormes coquelicots. Leurs pétales soyeux ont de riches nuances de rouge et d'orange qui contrastent avec leur centre noir comme du jais.

Benoît s'approche de la réceptionniste et discute avec elle de la commande de la semaine suivante. Rachel et Karine voient que, sur le dos de son uniforme, il est écrit *Foison de fleurs*.

— C'est le magasin de fleurs du village, dit Karine à Rachel. Nous sommes passés devant en voiture.

— Nous faisons notre possible, Jeanne, dit Benoît. Mais nous avons eu beaucoup de problèmes ces derniers temps. Nos fleurs se fanent très vite sans qu'on sache pourquoi!

Karine soupire.

— C'est à cause des six pétales magiques manquants, chuchote-t-elle à Rachel. Les nouvelles fleurs ne poussent pas et celles qui sont déjà épanouies ne durent pas très longtemps.

Rachel hoche tristement la tête.

Benoît sort son carnet de commandes.

— Je vais aller voir la gérante de l'hôtel
pour le reste de la commande, dit-il en
sortant d'un pas pressé.

Rachel regarde les fleurs que Benoît vient
d'apporter. Elle voit que certaines se fanent
déjà bien qu'elles soient fraîchement
arrivées du magasin. Soudain, son cœur bat
la chamade.

— Karine, murmure-t-elle en saisissant le
bras de son amie. Je viens de voir des
étincelles magiques rouges jaillir de la
corbeille!

— Oh! s'exclame Karine, enchantée.

Les deux fillettes s'approchent en hâte.
Quand elles sont tout près, une autre pluie
d'étincelles rouge vif et une fée minuscule
s'échappent du cœur d'un coquelicot
écarlate.

Aux premières loges

— Oh! les filles! Je suis si heureuse de vous voir! s'exclame Claire, la fée des coquelicots.

Elle danse dans les airs en s'approchant de Karine et de Rachel. Claire porte une robe rouge ample et un bandeau assorti dans ses cheveux. Ses pieds sont chaussés de petites ballerines rouges ornées de coquelicots.

— Bonjour Claire, dit Karine avec enthousiasme. Penses-tu que ton pétale magique est ici?

Les ailes étincelantes de Claire s'abaissent légèrement.

— Non, il n'est pas ici, répond-elle tristement. Mais je sais où il est!

— Dis-le-nous, Claire, l'encourage Rachel.

La petite fée commence son explication :

— J'étais au magasin de fleurs du village, et pendant que je cherchais fébrilement mon pétale dans la corbeille de fleurs, je me suis fait emporter avec celle-ci.

— Et c'est comme ça que tu t'es
retrouvée ici? demande Karine.

Claire hoche la tête.

— Je suis contente que Rachel et toi
m'ayez trouvée, ajoute-t-elle, parce que je
ne savais pas où j'allais. Mais je suis sûre
d'avoir entrevu mon pétale magique en
sortant du magasin. Je dois y retourner dès
que possible!

Karine et Rachel regardent prudemment
autour d'elles. C'est l'heure du déjeuner et
le hall de réception grouille de gens qui
vont et viennent.

— Allons sur cette banquette pour faire
un plan, suggère Rachel.

Claire hoche la tête
et plonge dans la poche
de Rachel. Les fillettes
se dirigent ensuite vers
une banquette située
devant une grande
fenêtre en saillie et
s'assoient sur les coussins
en velours.

— Regardez mes
pauvres coquelicots, se désole Claire en
jetant un coup d'œil à
la corbeille de fleurs.

Rachel et Karine
voient que les
fleurs délicates
commencent déjà
à se faner.

— Mon pétale magique aide les coquelicots et toutes les autres fleurs rouges à pousser. Je dois le retrouver, sinon les fleurs rouges ne pourront plus fleurir.

— Les tulipes sont magnifiques, remarque Karine en admirant les fleurs orangées qui sont bien droites et colorées.

— C'est parce que nous avons retrouvé le pétale magique de Téa, la fée des tulipes, hier.

Claire hoche la tête :

— Il faut que tous les pétales magiques soient de retour au Royaume des fées pour que toutes les fleurs recommencent à pousser normalement, précise-t-elle.

— Nous allons les trouver, assure Rachel.

— N'oubliez pas que les gnomes ont une baguette magique chargée avec la magie glacée du Bonhomme d'Hiver. Faites bien attention, les filles, dit Claire en frissonnant.

Karine acquiesce. Juste à ce moment-là, un mouvement dehors attire son attention. Elle se tourne et regarde par la fenêtre. Elle voit un grand gnome vert qui traverse la cour de l'hôtel en courant à toute vitesse!

— Regardez, c'est un gnome! s'exclame-t-elle.

Le gnome se précipite vers une fourgonnette blanche garée devant l'hôtel. Sur le côté, on peut lire *Foison de fleurs* en jolies lettres cursives peintes en vert; les portes arrière sont grandes ouvertes. Sous les yeux des fillettes et de Claire, le gnome s'arrête brusquement et agite les bras.

Toute une bande de gnomes surgit alors des buissons! L'un d'eux tient la baguette glacée étincelante que le Bonhomme d'Hiver leur a donnée.

— Ils sont nombreux! murmure Claire d'un ton anxieux tandis que les gnomes commencent à se faire la courte échelle pour grimper dans la fourgonnette.

— Ils cherchent le pétale magique, remarque Rachel.

Claire secoue la tête.

—Je suis sûre qu'il est encore au magasin, dit-elle.

— Regardez ce que font les gnomes maintenant! chuchote Karine en fronçant les sourcils.

Tous les gnomes ont grimpé dans la fourgonnette. Claire et les fillettes ne peuvent plus les voir, mais des fleurs jaillissent des portes ouvertes. Jonquilles, tulipes et autres fleurs fendent les airs et jonchent le sol de la cour.

— Oh! s'écrie Claire en joignant ses mains. Comment peuvent-ils traiter de si jolies fleurs comme ça? Nous devons les arrêter!

— Oui et vite, ajoute Rachel avec inquiétude. Avant que le livreur ne les voie!

Gnomes clandestins

Vite, Claire se blottit de nouveau dans la poche de Rachel et les deux fillettes sautent sur leurs pieds. Mais il est trop tard! Benoît est déjà à la porte de l'hôtel et il fait signe de la main à Jeanne.

— Je vais porter immédiatement votre commande au magasin, dit-il. Au revoir!

Karine et Rachel échangent un regard
consterné en voyant Benoît sortir. Elles se
précipitent dans la cour et arrivent juste à
temps pour le voir ramasser les fleurs
éparpillées sur le sol.

— Que s'est-il passé ici? marmonne
Benoît. Le vent n'a pas pu faire tomber les
fleurs de la fourgonnette. J'ai dû les
renverser quand j'ai sorti la corbeille pour
l'hôtel.

Les fillettes regardent Benoît remettre soigneusement les fleurs dans la fourgonnette et fermer les portes. Elles n'aperçoivent pas un seul gnome.

— Crois-tu que les gnomes sont sortis avant que Benoît arrive? murmure Rachel.

— Je ne sais pas, répond Karine les sourcils froncés.

Benoît monte dans la fourgonnette, fait un petit geste amical aux filles et démarre.

Foison
de fleurs

— Karine! s'écrie soudainement Rachel.
Regarde à l'arrière de la fourgonnette!

Le cœur de Karine se serre. Derrière
les vitres arrière de la
fourgonnette, les
gnomes font des
grimaces et tirent
la langue à
Claire et aux
fillettes. Puis,
quand la
fourgonnette
s'éloigne, ils
les saluent avec
un air satisfait.

— Les gnomes sont en
route vers le magasin, grogne Rachel.

— Ils risquent de trouver le pétale magique de Claire! ajoute Karine.

— J'ose à peine imaginer tous les dégâts que ces vilains gnomes vont causer dans le magasin de fleurs! dit Claire. Nous devons aller à leur poursuite!

— Je suis sûre que nos parents nous laisseront aller au village, dit Karine. C'est juste au bout de l'allée de l'hôtel.

— Mais il nous faut une raison pour aller au magasin de fleurs, observe Rachel.

Karine hoche la tête d'un air songeur. Elle remarque alors un morceau de papier chiffonné sur le gravier. Elle le ramasse.

— Qu'est-ce que c'est? demande Rachel, curieuse.

Karine lisse le papier. En haut, elle distingue les mots « Foison de fleurs, Grande rue, Fleuronville » avec quelque chose d'autre écrit dessous. Elle lit à haute voix :

— « Une corbeille de roses fuchsia, un bouquet de tulipes roses et blanches ». C'est la commande pour la semaine prochaine. Benoît a dû la laisser tomber.

— Parfait! se réjouit Rachel. Nous pouvons aller au magasin pour la lui rendre.

À ces mots, Claire est si enthousiaste qu'elle sort en

tourbillonnant de la
poche de Rachel dans
une nuée d'étincelles
rouges.

— Dépêchez-vous les
filles! dit-elle
impatiemment. Vous
devriez aller demander la
permission à vos parents.

— J'y vais! répond Rachel.
Nous pourrions emprunter les vélos de
l'hôtel. L'allée est vraiment longue. Ça irait
plus vite que de marcher.

— Bonne idée, approuve Karine.

Les fillettes savent que le manoir met des
bicyclettes à la disposition des invités qui
souhaitent explorer la campagne.

— Je vais aller à la réception pour
demander à Jeanne, propose Karine.

— Je vous attends ici, dit Claire en se
cachant derrière un buisson tout proche.

Rachel se dépêche d'aller trouver ses
parents tandis que Karine retourne à la
réception pour parler à Jeanne.

— Bien sûr que vous pouvez emprunter
des vélos, dit gentiment cette dernière. Suis-
moi.

La réceptionniste conduit Karine jusqu'à un grand garage à l'arrière de l'hôtel dans lequel les bicyclettes sont rangées. Elle donne à Karine des cadenas et des chaînes ainsi que deux casques. Puis, elle aide Karine à pousser les vélos jusqu'à l'allée avant de retourner à la réception.

— Tu as fait vite! murmure Claire qui sort des buissons dès que Jeanne est hors de vue.

— Et voilà Rachel qui revient! s'exclame Karine.

— Nous pouvons y aller, annonce Rachel, mais interdit d'aller plus loin que le village et nous devons être de retour dans une heure.

Claire voltige immédiatement jusqu'au panier avant du vélo de Rachel et s'y installe confortablement.

— Allons-y! s'écrie-t-elle. Nous n'avons pas une minute à perdre!

Les gnomes sèment la pagaille

Les fillettes mettent leur casque, grimpent sur leur vélo et pédalent à toute allure. L'allée est longue et sinueuse et elles sont vite essoufflées.

— Regardez les champs, fait remarquer Claire en apercevant enfin le portail de la propriété. Même mes beaux coquelicots sauvages se meurent.

Rachel et Karine constatent que les coquelicots écarlates se fanent. Dans les prés, les primevères et les gueules-de-loup se flétrissent aussi au lieu d'être en pleine floraison.

— Nous devons absolument retrouver tous les pétales magiques, insiste Rachel en s'efforçant de pédaler encore plus vite.

Le magasin Foison de fleurs se trouve sur la Grande rue de Fleuronville, près du parc.

— Espérons que les gnomes n'ont pas encore trouvé mon pétale magique, murmure Claire en se faufilant dans la poche de Rachel.

Rapidement, Karine et Rachel cadenassent leur vélo, enlèvent leur casque et entrent dans le magasin. Il est vide, mais il y a une femme derrière le comptoir. Ses longs cheveux noirs sont retenus en une queue de cheval. Elle fronce les sourcils et secoue la tête en réunissant des iris bleus et des roses jaunes pour faire un joli bouquet.

— Oh là là! soupire la femme en reposant une rose fanée.

Elle remarque alors Rachel et Karine.

— Bonjour, dit-elle, troublée. Je suis désolée. Je ne vous avais pas vues. J'ai des problèmes avec mes fleurs.

Rachel et Karine jettent un coup d'œil autour d'elles. Elles voient beaucoup de fleurs dans de grands vases argentés. Toutes sont fripées et ont un air triste. Les coquelicots tout particulièrement sont en piteux état avec leurs tiges tombantes et leurs minces pétales flétris.

— Nous avons beaucoup de commandes
à préparer. Je ne sais pas comment
je vais faire, continue la femme.
Je m'appelle Katia. Mon mari
Benoît et moi sommes
propriétaires de ce
magasin. Comment
puis-je vous aider?

— Nous logeons au Manoir
aux cerisiers, explique Karine en
tendant la feuille de papier.
Benoît est venu ce matin et il a laissé
tomber la commande de la semaine
prochaine en partant.

Katia leur sourit.

— Oh! merci les filles! dit-elle avec
gratitude. Benoît est rentré, mais il est déjà
reparti livrer une autre commande avec la
fourgonnette.

Rachel et Karine échangent un regard. Elles se demandent si les gnomes ont réussi à quitter la fourgonnette et à entrer dans le magasin.

— Je dois finir ce bouquet pour une nouvelle maman, explique Katia. Allez donc dans l'arrière-boutique pour choisir quelques fleurs en guise de remerciement.

— Avec plaisir! s'écrient Rachel et Karine en chœur.

Katia leur montre une porte derrière le comptoir.

— C'est par là. Prenez ce que vous voulez.

— Parfait! chuchote Claire en sortant la tête de la poche de Rachel dès que les fillettes ont refermé la porte derrière elles. Maintenant, nous pouvons chercher mon pétale magique!

— Et les gnomes aussi peut-être, ajoute Karine.

Les fillettes se dépêchent d'aller dans l'arrière-boutique.

— Oh non! grogne Rachel en s'immobilisant sur le pas de la porte. Les gnomes sont ici!

Les gnomes courent dans tous les sens à

la recherche du pétale magique. La pièce
est dans un désordre indescriptible!
Claire et les fillettes contemplent les
seaux de fleurs renversés, les
flaques d'eau, les feuilles et
les pétales épars.

Mais les gnomes
s'en donnent à cœur
joie! L'un d'eux s'est
enroulé dans du
papier d'emballage
rose, telle une momie
égyptienne. Seuls ses
grandes oreilles, son
nez et ses pieds
dépassent. Un autre
s'est paré de rubans
colorés et fait tournoyer un
grand morceau de ruban au-dessus

de sa tête comme un lasso. Le gnome à la baguette a glissé une jonquille derrière ses oreilles et a une guirlande de marguerites autour de son cou.

— Je ne pense pas qu'ils aient trouvé le pétale, murmure Karine.

Claire et les fillettes ne peuvent s'empêcher de rire en voyant le spectacle des gnomes même si elles sont horrifiées par leurs dégâts.

— Non, ils
s'amusent trop!
répond Rachel.
Regarde! Il y en a
un qui est coincé!

Le plus grand
gnome est tombé la tête
la première dans un
seau vide. Il
agite ses bras et
ses jambes tout
en criant à tue-
tête, mais comme
sa voix est étouffée,
personne ne l'entend.

Claire, Karine et Rachel regardent deux
autres gnomes qui essaient de le dégager en

le tirant par les jambes.

Quand sa tête sort du seau, les fillettes voient qu'il jubile.

— J'ai trouvé le pétale magique! s'exclame-t-il triomphalement.

Magie glaciale

Rachel, Karine et la fée regardent le magnifique pétale de coquelicot rouge que tient le gnome.

— Je vais le rapporter tout de suite au Bonhomme d'Hiver, se vante-t-il.

— Non, c'est moi! s'écrie un autre.

Bientôt, tous les gnomes se mettent de la partie, essayant de lui arracher le pétale fragile des mains.

Rachel ne peut plus se retenir. Les gnomes vont finir par déchirer le pétale.

— Rendez-le-moi! exige-t-elle courageusement.

Tous les gnomes se tournent vers elle et la dévisagent.

— Certainement pas, se moque le plus grand gnome.

Il se rue par la porte arrière, suivi de tous les autres.

— Nous ne pouvons pas les suivre. Katia va se demander où nous sommes allées, dit Rachel. Nous ferions mieux de sortir par la porte avant.

— Peux-tu
nettoyer ces dégâts,
Claire? demande
Karine.

Claire agite
prestement sa baguette
et une pluie d'étincelles
magiques se répand dans toute la pièce :
le papier d'emballage et les rubans
s'enroulent et les fleurs retournent dans les
seaux.

— Par contre, je ne peux pas raviver les
fleurs flétries, soupire Claire. Pas sans mon
pétale magique.

Elle regagne la poche de Rachel. Les
deux fillettes retournent au magasin.

Katia les regarde avec étonnement.

— Vous n'avez pas trouvé de fleurs qui
vous plaisent? demande-t-elle.

— Euh, nous nous sommes souvenues que nous devions faire quelque chose au village d'abord, balbutie Karine.

— Nous reviendrons chercher les fleurs plus tard, si ça va, ajoute Rachel.

— Aucun problème, répond Katia.

Les fillettes enlèvent rapidement les cadenas de leurs vélos et pédalent jusqu'à l'arrière du magasin.

— Ils sont là-bas! s'écrie Rachel en apercevant les gnomes qui s'enfuient dans le parc. Elles les poursuivent en vélo, mais le temps qu'elles arrivent au parc, les gnomes ont disparu.

Les fillettes s'arrêtent sous un grand chêne.

— Ils doivent bien être quelque part, dit Karine en regardant autour d'elle.

Elle voit des arbres, des parterres et une colline toute proche, mais pas de gnomes. Soudain, un bruit juste au-dessus de sa tête la fait sursauter.

Chchch…

Karine lève la tête et voit une branche verte très étrange. Elle étouffe un cri en se rendant compte que c'est une jambe de gnome!

Sans faire de bruit, elle descend de son vélo, tape sur

l'épaule de Rachel et fait un geste en
direction de la branche. Rachel et Claire
voient la jambe et hochent la tête. Rachel
descend vite de son vélo.

— Nous allons voler là-haut et essayer
d'attraper le pétale, murmure Claire en
agitant sa baguette.

Un frisson d'excitation parcourt Rachel
et Karine quand une pluie d'étincelles

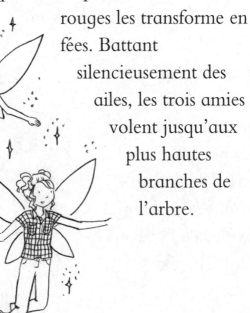

rouges les transforme en
fées. Battant
silencieusement des
ailes, les trois amies
volent jusqu'aux
plus hautes
branches de
l'arbre.

— Là-bas, chuchote Claire en pointant sa baguette.

Les gnomes sont assis côte à côte sur une branche solide, les jambes pendantes. Le plus grand gnome est au bout et tient le pétale magique.

Rachel est la plus près du gnome. Elle vole immédiatement dans sa direction et essaie d'attraper le pétale, mais à la dernière minute, le gnome la voit et la balaie de la main.

— C'est encore ces filles agaçantes, crie-t-il, furieux. Faites quelque chose!

— Je vais leur lancer un sort vraiment puissant! répond le gnome à la baguette. Euh...

— Dépêche-toi! crie le plus grand gnome tandis que les trois fées volettent autour de lui en essayant d'attraper le pétale.

— Ça y est, je sais, répond le gnome à la baguette. Échapper à ces filles serait très apprécié...

Et il se met à agiter la baguette.

— Apprécié? se fâche le grand gnome. Ce serait formidable, pas juste apprécié!

— Je ne connais pas de mot qui rime avec formidable! dit le gnome à la baguette, l'air piteux.

Claire et les fillettes éclatent de rire.

Le gnome continue en pointant la baguette vers le sol.

— Échapper à ces filles serait très apprécié. Je veux faire apparaître une glissoire glacée!

Une immense glissoire de glace apparaît immédiatement. Elle va des branches de l'arbre jusqu'à l'herbe tout en bas. Un par un, les gnomes s'y engagent et glissent jusqu'au sol en lançant des cris de joie. Le grand gnome les suit après avoir essayé une dernière fois d'attraper les fées.

— Ils se sauvent avec le pétale magique! crie Karine.

Foison de fleurs

Alors que les gnomes partent en courant vers une colline voisine, Claire et les fillettes descendent des airs. D'un léger coup de baguette, Claire redonne à Rachel et à Karine leur taille humaine. Puis les fillettes enfourchent leur vélo.

— Poursuivons-les! crie Rachel.

Les fillettes foncent derrière les gnomes.

Claire est dans le panier avant du vélo de Rachel. Elles arrivent rapidement au pied de la colline, puis elles commencent à peiner.

— La montée est difficile! se plaint Karine en s'efforçant de pédaler plus vite.

Claire se penche hors du panier et agite sa baguette. Des étincelles rouges comme des coquelicots tourbillonnent dans les roues des deux vélos.

— Oh! s'écrie joyeusement Rachel. Je vais beaucoup plus vite maintenant!

— Moi aussi! s'exclame Karine. Merci Claire!

Grâce à l'aide magique de la fée, les fillettes gagnent du terrain sur les gnomes.

— Nous allons bientôt les doubler, lance Rachel.

— Essayons d'attraper le pétale au passage, suggère Karine.

— Regardez! Le gnome qui tient le pétale traîne un peu derrière les autres, fait remarquer Claire.

— Karine, passe à sa gauche, et moi, je passerai à sa droite, dit Rachel, ainsi il ne pourra pas nous échapper.

— Bonne idée! approuve Karine.

Rachel se dirige vers la droite et Karine vers la gauche. Les deux fillettes s'approchent du gnome qui tient le pétale dans sa main droite. Rachel tend la main pour le saisir au passage.

Malheureusement, le gnome l'aperçoit à la dernière minute.

— Tu essaies de me jouer un tour, hein? raille-t-il. Tu devras faire plus d'efforts!

Il change le pétale de sa main droite à sa main gauche en jubilant.

Karine dépasse le gnome juste à ce moment-là. Elle tend la main et lui arrache le pétale alors qu'il se moque encore de Rachel.

— Hourra! s'écrie Claire alors qu'elles passent à toute allure devant les autres gnomes.

— Hé! proteste le grand gnome. Rends-moi ce pétale magique!

Avant que les autres gnomes se rendent compte de ce qui vient de se passer, il est trop tard.

Rachel et Karine foncent sur leurs vélos. Derrière elles, elles entendent les gnomes crier et se disputer parce qu'ils ont perdu le pétale magique.

— Karine, Rachel, je ne sais comment vous remercier, s'exclame Claire quand elles se retrouvent enfin devant les grilles du parc, leur point de départ. Maintenant, tous les coquelicots et les jolies fleurs rouges retrouveront leur beauté. Je dois porter ce pétale au Royaume des fées, là où il doit être.

Elle passe sa baguette au-dessus du pétale qui reprend immédiatement la taille qu'il avait au Royaume des fées. Claire le prend de la main de Karine et sourit.

— Au revoir, mes amies, et bonne chance avec les autres pétales!

Karine et Rachel agitent la main tandis que Claire disparaît dans une nuée d'étincelles rouge vif.

— Un autre pétale magique de retrouvé, dit joyeusement Karine. Maintenant, nous devrions retourner au Manoir aux cerisiers!

— Oh! Allons d'abord chercher nos fleurs au magasin! suggère Rachel.

Les fillettes retournent à Foison de fleurs.

Katia a l'air beaucoup plus gaie quand elles entrent dans le magasin.

— Re-bonjour! dit-elle joyeusement. Regardez mes fleurs. Certaines ont repris de la vigueur depuis que vous êtes parties.

Karine et Rachel voient que tous les coquelicots et les autres fleurs rouges se sont maintenant redressés et ont des couleurs plus vives. Elles échangent un sourire entendu.

— La magie de Claire opère de nouveau! murmure Karine.

— Dites-moi quelles fleurs vous voulez, demande Katia. Vous avez plus de choix maintenant.

Les fillettes choisissent des coquelicots rouges et orange et Katia leur compose deux jolis bouquets. Puis, Rachel et Karine lui disent au revoir et reprennent leurs vélos pour rentrer au Manoir aux cerisiers.

— Regarde, Rachel! s'écrie Karine. Tous les coquelicots refleurissent dans les champs!

— Ils sont magnifiques, n'est-ce pas? dit joyeusement Rachel en les regardant se balancer dans la brise tiède.

— Je suis si contente que nous ayons aidé une autre fée des fleurs aujourd'hui.

— Vivement demain! ajoute Karine en souriant.

L'ARC-EN-CIEL magique

LES FÉES DES FLEURS

Claire, la fée des coquelicots, a récupéré
son pétale magique. Maintenant,
Rachel et Karine doivent aider

Noémie,
la fée des
nénuphars!

Voici un aperçu de leur
prochaine aventure!

Promenade en forêt

— Le lac de la Belle-Rive est par là! crie
Rachel en apercevant un panneau en bois.

Son chien, Bouton, trotte à ses côtés. Il
s'arrête pour renifler les arbres et les
buissons en chemin.

Karine Taillon sourit à sa meilleure amie
Rachel. Les deux fillettes font une
randonnée pédestre avec leurs parents.

Bouton accélère le pas en arrivant sur le sentier qui s'enfonce dans la forêt.

— J'ai hâte de voir le lac, dit Karine en empruntant le sentier qui descend au milieu des arbres. Il y a une photo dans le guide de maman et ça a l'air vraiment joli.

Rachel sourit à Karine.

— Je me demande ce que nous verrons d'autre aujourd'hui, dit-elle à voix basse.

Karine comprend exactement ce que son amie veut dire.

— Oh! J'espère que nous rencontrerons une autre fée des fleurs, murmure-t-elle. Mais souviens-toi de ce que répète toujours la reine des fées : nous devons laisser la magie venir à nous!

LE ROYAUME DES FÉES
N'EST JAMAIS TRÈS LOIN!

Dans la même collection

Déjà parus :

LES FÉES DES PIERRES PRÉCIEUSES

India, *la fée des pierres de lune*
Scarlett, *la fée des rubis*
Émilie, *la fée des émeraudes*
Chloé, *la fée des topazes*
Annie, *la fée des améthystes*
Sophie, *la fée des saphirs*
Lucie, *la fée des diamants*

LES FÉES DES ANIMAUX

Kim, *la fée des chatons*
Bella, *la fée des lapins*
Gabi, *la fée des cochons d'Inde*
Laura, *la fée des chiots*
Hélène, *la fée des hamsters*
Millie, *la fée des poissons rouges*
Patricia, *la fée des poneys*

LES FÉES DES JOURS DE LA SEMAINE

Lina, *la fée du lundi*
Mia, *la fée du mardi*
Maude, *la fée du mercredi*
Julia, *la fée du jeudi*
Valérie, *la fée du vendredi*
Suzie, *la fée du samedi*
Daphné, *la fée du dimanche*

LES FÉES DES FLEURS

Téa, *la fée des tulipes*
Claire, *la fée des coquelicots*
Noémie, *la fée des nénuphars*

À paraître :

Talia, *la fée des tournesols*
Olivia, *la fée des orchidées*
Mélanie, *la fée des marguerites*
Rébecca, *la fée des roses*